1 Vorlesen

2 Mitlesen

3 Selbstlesen

Leserätsel

Stopp

Wiederholen

Außerdem in der Reihe

Leserabe – Lesen lernen mit tiptoi®

erschienen:

Das tollste Pony der Welt

Willi Vampir in der Schule

Der neue Fußball

Inge Meyer-Dietrich

Der kleine Drache will nicht zur Schule

Mit Bildern von Almud Kunert

Ravensburger Buchverlag

Drachensachen

Fuega läuft am Strand entlang.
Sie übt Feuer spucken.

Fuega übt,
den Leuten einen Schreck einzujagen.
Sie übt, doppelte Saltos zu fliegen.
Und weich zu landen. Im Sand.

Fuegas Hals kratzt
von den vielen kleinen Flammen.
Ihr ist schwindelig
vom Kopfüber-Fliegen.

Und ihr Schwanz hat eine Beule
von der letzten Landung.
Die war viel zu schnell.

Verflixt! Ist das alles schwer.
Aber klar, Fuega will genauso gut
Feuer spucken und fliegen können
wie die großen Drachen.

Nächste Woche kommt Fuega
in die Schule.
„Da lernt man
die Drachensachen richtig“,
sagen alle.

Ach was, denkt Fuega.
Ich kann allein lernen,
solange ich Lust hab.
Gerade jetzt
hat Fuega keine Lust mehr.

Sie braucht eine kleine Pause,
hockt sich auf die dicken Steine
nah am Wasser.
Sie spuckt ein Feuerchen
und denkt nach.

Der Wind bläst.
Die Möwen schreien.
Weit weg, mitten auf dem Meer,
fährt ein dickes Schiff.

Das will ich auch, denkt Fuega.
Übers Meer fahren.
Weit, weit weg!

Wozu Drachenschule?
Ich will was erleben,
ein richtiges Abenteuer!
Also los!
Ganz schnell!

Unterwegs mit dem Wind

Fuega rennt ein Stück zurück.
Da hat sie vorhin
eine Kiste entdeckt.
Die kann sie gut gebrauchen
als Boot.

Und das Segel?
Dafür hat sie ihre Ohren.

Und das Steuer?
Fuega muss nicht lange überlegen.
Steuern kann sie doch
mit ihrem Schwanz!

Schwups, ist das Boot im Wasser
und Fuega segelt los.

„Könnt ihr mich alle sehen?
Ich bin der Kapitän!“,
singt Fuega übermütig.

„Klar!“, rufen die Möwen.
Die Fische nicken
mit ihren Schwänzen.

Ha! Der Wind ist stark!
Der treibt Fuegas Boot
aufs offene Meer hinaus.

Fuega übt, mit den Ohren zu segeln.
Dann hängt sie ihren Schwanz
zum Steuern ins Wasser.

Es klappt! Sie wird gleich schneller.
Fuega schießt zickzack übers Meer.
Was für ein Spaß!

Aber jetzt?
Warum wird sie
auf einmal so langsam?
Oh nein! Der Wind ist weg.
Schlapp hängen Fuegas Ohren.
Hilflos rudert ihr Schwanz.

So ein Mist!
Fuega spuckt Funken.
Vor Zorn.

Hilfe, Hilfe!

Plötzlich entdeckt Fuega eine Insel
und paddelt hin.

Auf der Insel wohnen Robben.
„Könnt ihr mir helfen?“, fragt Fuega.
„Klar!“, rufen die Robben.

Schwups, sind sie im Wasser
und schubsen Fuegas Boot
vor sich her.
Fast so schnell wie der Wind.

„Wuuunderschöön …“,
singt Fuega.

He! Was für ein riesiger Berg!
Mitten im Meer!

Der Berg kommt immer näher!
Er hat ein riesiges Maul.
Die Robben zittern.
Das Boot wackelt.
„Ein Wal!“, schreit Fuega. „Hilfe!“

Rumms!
Das Boot knallt
gegen den Unterkiefer
des großen Wals.
Zack!
Fuega landet auf seinen Zähnen.

Gleich wird es duster!
Gleich,
wenn der Wal sie verschluckt.

Von wegen!
Fuega kann ja Feuer spucken!
Und wie!

„Hilfe!“, ruft der Wal erschrocken
und hustet Fuega ins Meer zurück.

Fuega schwimmt und schwimmt.
Wo sind die Robben?
Wo ist ihr Boot?

Nur noch der Wal
ist in der Ferne zu sehen.

Sie schwimmt und schwimmt.
Das Meer ist so groß und weit!

Endlich entdeckt Fuega
ein paar Felsen.
Nackte Felsen
ohne Baum oder Strauch.
Niemand ist zu sehen.

Fuega versucht,
auf einen der Felsen zu klettern.
Sie rutscht ab.
Fuega hat kaum noch Kraft.
Doch sie versucht es wieder.

Geschafft!
Sie zittert vor Kälte.
Fuega spuckt ein Feuer,
so groß es geht.

Sie denkt an ihre Drachenmutter,
die Riesenfeuer spucken kann.
Da wird einem bei Kälte
so richtig kuschelig warm.

Fuega hat Heimweh.
Noch nie war sie so weit weg.
Sie hat Hunger und Durst.
Sie will nach Hause. Unbedingt!

Aber wie?
Sie hat kein Boot mehr.
Also muss sie fliegen,
auch wenn sie noch nie
so weit geflogen ist.

Ich muss es schaffen, denkt Fuega.
Hier kann ich nicht bleiben.
Wer weiß,
ob mich hier jemand findet?

Und jetzt?

Fuega nimmt Anlauf.
Sie stellt die Ohren hoch.
Ich brauche kein Boot, denkt sie.
Heute bin ich Luftkapitän.

Und schon fliegt sie los.
Übers Meer.
Immer geradeaus.

Fuega fliegt und fliegt.
Eigentlich geht das besser
als segeln, denkt sie.
Ich brauche kein bisschen Wind.

Sie fliegt und fliegt.
Jetzt taucht endlich der Strand auf!

Hier ist Fuega zu Hause.
Von hier aus ist sie
mit der Kiste losgesegelt.

Fuega entdeckt Zeichen in der Luft,
Feuerzeichen, natürlich, die kennt sie!
Sie weiß sofort, wer ihr die schickt.

Richtig.
Die Drachenmutter steht am Strand
und spuckt ein Riesenfeuer.
Vor Freude? Oder vor Zorn?

Fuega landet beinahe weich
neben der Mutter im Sand.
Die knurrt wie ein alter Drachen.

Doch ihre Augen blitzen
ein frohes Drachenlachen.
„Wenn du erst in die Schule kommst
und die Drachenschrift lernst …“,
murmelt sie.

„Warum?“, fragt Fuega.
„Was soll ich mit der Drachenschrift?“

„Mir eine Nachricht schreiben,
wenn du wieder verschwindest.
Ich hatte solche Angst um dich!“,
sagt die Drachenmutter.

Hm, denkt Fuega.
Drachenschrift?
Eigentlich nicht schlecht,
wenn ich die könnte.

Und mächtig Feuer spucken,
so große wie meine Mutter.
Und doppelte Saltos fliegen
mit superweicher Landung,
ohne mir eine Beule zu holen.

Und vielleicht mit vielen, vielen
wilden Drachenkindern spielen?

Wenn Fuega nicht so müde wäre!
Wenn Fuega
nicht solchen Drachenhunger hätte!
Sie würde am liebsten
jetzt schon in die Schule gehen.
Jetzt sofort!

Ein Tag am Meer

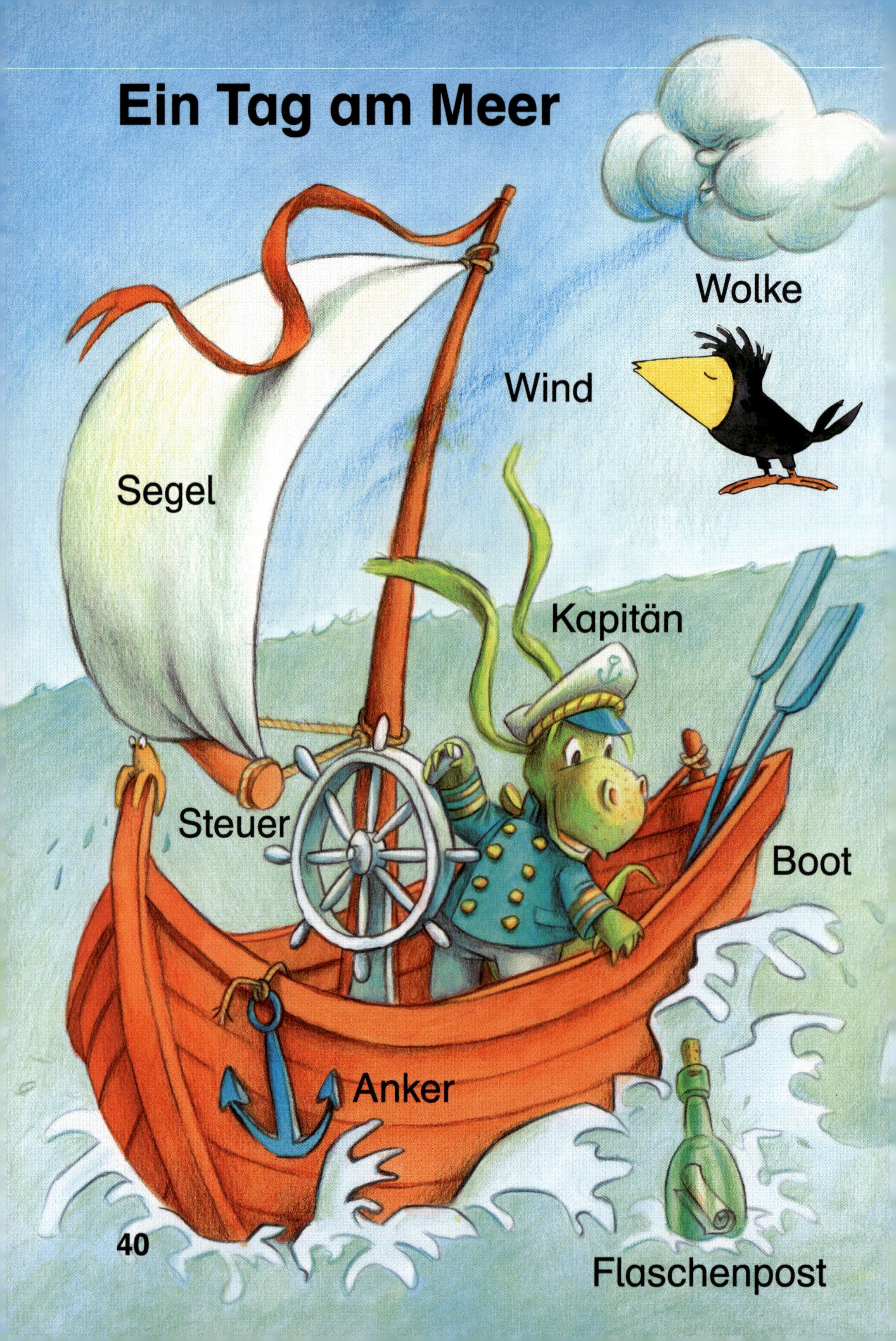

Möwe
Leuchtturm
Schiff
Wasser
Insel
Wal
Robbe
Meer
Fisch

Fuegas Abc

E
F
G
H
M
N
O
P
U
V
W
X
Eu
Pf
Sch